CW00860254

Llyfrau eraill am Bob y Bildar gan Wasg y Dref Wen:
Spud y Ddraig
Trwmped Bob

DREF WEN
Dref Wen 2005
Cyhoeddwyd gyntaf yn Saesneg gan BBC Worldwide Ltd ym 1999 dan y teitl *Bob's Birthday*.
Y testun a'r dylunio © BBC Children's Books, 1999
Y testun Cymraeg © 2005 Dref Wen

Ysgrifennwyd gan Diane Redmond
Trosiad Cymraeg Hedd a Non ap Emlyn
Yn seiliedig ar y gyfres deledu
Bob the Builder © 2005 HIT Entertainment Ltd a Keith Chapman.
Mae enw a chymeriad Bob y Bildar a chymeriadau Wendy, Spud, Roly, Muck, Pilchard, Dizzy, Lofty a Scoop yn nodau masnach Cofrestrwyd ym Mhrydain.
Bob the Builder © 2005 HIT Entertainment Ltd and Keith Chapman.
The Bob the Builder name and character and the Wendy, Spud, Roley, Muck, Pilchard, Dizzy, Lofty and Scoop characters are trademarks of HIT Entertainment Ltd.
Registered in the UK. All rights reserved.
Gyda diolch i HOT Animation www.bobthebuilder.com
Cedwir pob hawl.
Argraffwyd yn yr Eidal.

Pen-blwydd Bob

Un bore, galwodd Wendy'r peiriannau at ei gilydd yn iard Bob.

"Mae Bob yn cael ei ben-blwydd heddiw," dywedodd. "Dw i eisiau rhoi syrpreis iddo. Dw i eisiau cynnal parti heno, ond dw i eisiau i hyn fod yn gyfrinach. Felly, rhaid i ni esgus bod

heddiw fel pob diwrnod arall."
"Beth, esgus bod Bob ddim yn cael ei ben-blwydd heddiw?" gofynnodd Roley.

"Ie. Yna, yn y parti, gallwn ni i gyd ddweud Pen-blwydd Hapus wrtho," eglurodd Wendy. "Ond cofiwch, dim gair wrth Bob!"

Roedd Bob yn sgwrsio gyda Pilchard yn y swyddfa. "Dw i'n cael fy mhen-blwydd heddiw," meddai Bob, yn teimlo'n gyffrous.

"Miaaaw..." meddai Pilchard yn hapus.

"Wel, byddai'n well i fi fynd," dywedodd Bob. "Rhaid i fi drwsio wal stabl Mr Pickles y ffermwr."

Rhuthrodd Bob allan.

"Bore da!" dywedodd Bob yn hapus.

"Bore da!" atebodd pawb fel côr.

"Mm ... ydy'r postmon wedi dod â rhywbeth i fi, Wendy?" gofynnodd Bob, gan wenu'n obeithiol.

"Dydy e ddim wedi cyrraedd eto," atebodd Wendy. "Wyt ti'n disgwyl rhywbeth arbennig 'te?"

"Wel ... na, dim byd yn arbennig," atebodd Bob yn gyflym. "O, wel, byddai'n well i fi fynd. Scoop, Lofty – dw i eisiau i chi fy helpu fi i glirio'r safle a chodi'r styllod."

"Mwynha dy hun, Bob," dywedodd Wendy.

"Fe wna i fy ngorau," mwmiodd Bob yn dawel a siomedig gan adael yr iard ar gefn Scoop.

"O'r diwedd!" dywedodd Wendy. "Galla i ddechrau paratoi cacen pen-blwydd Bob nawr!"

Roedd Travis a Spud yn aros wrth stabl Mr Pickles pan gyrhaeddodd Bob, Scoop a Lofty.

"Ydych chi angen help?" gofynnodd Travis.

"Na, dim diolch," atebodd Bob wrth iddo ddechrau ar y gwaith.

Gwichiodd yr hoelion wrth i Bob eu tynnu allan.

Yn sydyn, daeth styllen yn rhydd a syrthiodd Bob ar ei ben-ôl. "Roedd hynna'n anodd," dywedodd.

Chwarddodd Spud dros bob man.

"All Bob ei drwsio? Ha, ha, ha!" chwarddodd.

"Cer o'r ffordd, Spud!" dywedodd Scoop yn grac gan godi'r styllen oedd wedi syrthio. "Mae gan rai ohonon ni waith i'w wneud."

Yn ôl yn yr iard, roedd Dizzy a Muck yn gwylio Wendy'n gwneud cacen pen-blwydd ar gyfer Bob.

"Mae hwnna'n hawdd," dywedodd Muck. "Dim ond taflu popeth i bowlen a'i gymysgu i gyd."

"Yn union fel cymysgu concrid!" chwarddodd Dizzy.

"Mae Bob wrth ei fodd gyda dy goncrid di, Dizzy," dywedodd Muck. "Beth am wneud cacen goncrid iddo i'w chadw am byth?"

"Wel ie. Dyna syniad da!" gwichiodd Dizzy.

Cymysgodd Dizzy lwyth o'i choncrid gorau.
"Reit. Beth am ei roi e yn y mowld?" gofynnodd.

"Pa fowld?" gofynnodd Muck.

"Alla i ddim arllwys y concrid ar y ddaear," eglurodd Dizzy. "Bydd e'n rhedeg dros yr iard i gyd ac yn caledu fel crempog fawr fflat."

"Wel, wrth gwrs!" dywedodd Muck. "Dw i'n gwybod – beth am ddefnyddio teiar mawr?"

Aeth Muck i chwilio am deiar ac arllwysodd Dizzy y concrid i mewn iddo.

"Perffaith!" dywedodd Dizzy gyda gwên.

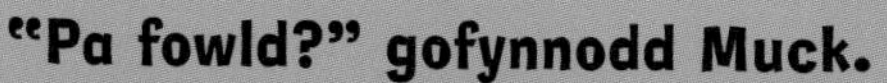

Roedd Lofty'n codi'r styllod yn ofalus i Bob ar gyfer stabl Mr Pickles.

Roedd Spud a Travis yn ei herian e drwy'r amser ac yn ei wneud e'n nerfus iawn.

"Rydych chi'ch dau i fod i fynd i werthu wyau Mr Pickles, on'd ydych chi?" gofynnodd Bob yn grac. "Gadewch lonydd i Lofty!"

"Reit 'te!" atebodd Travis a Spud. "Os mai dyna fel mae pethau, rydyn ni'n mynd!"

Ac i ffwrdd â nhw.

Ar yr iard, roedd Roley'n edrych ar gacen goncrid Dizzy.

"Mae angen rhywbeth i'w gwneud hi'n fwy lliwgar," awgrymodd.

"Dizzy, beth am fynd i chwilio am rywbeth i'w haddurno hi?" gofynnodd Muck.

Bum munud yn ddiweddarach, daeth Dizzy a Muck yn eu holau.

"Edrycha! On'd ydyn nhw'n brydferth!" dywedodd Dizzzy, gan daflu plu ar y gacen.

"Ac mae dail lliwgar gyda fi!" gwaeddodd Muck.

"Dyna welliant!" dywedodd Roley. "Mae'r gacen yn fwy lliwgar o lawer nawr!"

Cyrhaeddodd Travis a Spud dŷ Bob gydag wyau i Wendy.

"M ... m ... mmm!" dywedodd Spud wrth iddo weld y gacen hyfryd ar fwrdd y gegin. Cododd ychydig o eisin ar ei fys a'i roi yn ei geg!

"Spud! Cadwa dy fysedd oddi ar y gacen 'na!" gwaeddodd Wendy. "Cacen pen-blwydd Bob yw honna!"

"Sori, Wendy!" mwmiodd Spud. "Mae hi'n edrych mor flasus a dw i ar lwgu!"

"Bydd yn rhaid i ti aros – fe gei di ddarn yn y parti," atebodd Wendy. "Ond wnei di fy helpu i roi canhwyllau arni?"

"Mae Spud wrthi'n barod!" chwarddodd y bwgan brain.

Wrth i Bob hoelio'r styllen olaf yn wal stabl Mr Pickles, canodd ei ffôn symudol.

"Efallai bod rhywun yn ffonio i ddweud Pen-blwydd Hapus," meddyliodd Bob.

"Helô, Bob," dywedodd Wendy. "Pryd byddi di'n dod yn ôl?"

"Rydyn ni newydd orffen," atebodd Bob. "Byddwn ni'n ôl cyn bo hir. Pam? Oes rhyw reswm arbennig?"

"Na, na," atebodd Wendy'n gyflym. "Mae angen i ti lofnodi ambell lythyr, dyna i gyd. Hwyl!"

"Dim Pen-blwydd Hapus Bob, 'te," mwmiodd Bob.

Winciodd Scoop ar Lofty. "Dere, Bob," galwodd e. "Mae'n bryd i ni fynd adre."

Roedd Wendy wedi addurno bwrdd yn yr iard ac wedi rhoi cacennau ac anrhegion arno.

"O, mae hyn yn gyffrous!" gwichiodd Dizzy.

Doedd Bob ddim yn gallu credu ei lygaid pan gyrhaeddodd yr iard, a dechreuodd pawb ganu.

"Bob y Bildar, pen-blwydd hapus!
Bob y Bildar, ie yn wir!
Pen-blwydd hapus, gawn ni ddathlu?
Pen-blwydd hapus, cawn yn wir!"

"Syrpreis!" chwarddodd Wendy. "Pen-blwydd hapus, Bob!"

Gwenodd Bob – roedd e wrth ei fodd. "Roeddwn i'n meddwl eich bod chi i gyd wedi anghofio fy mhen-blwydd i!" dywedodd.

"Edrycha, Bob!" gwaeddodd Muck. "Mae dwy gacen yma i ti."

"Cacen i'w bwyta a chacen goncrid i'w chadw am byth!" dywedodd Bob yn hapus. "Diolch yn fawr iawn am barti hyfryd. Am syrpreis!"

"Ga i gael ddarn o'r gacen hyfryd 'na nawr?" gofynnodd Spud.

"Wrth gwrs," chwarddodd Bob.

Stwffiodd Spud y gacen i'w geg. "Mae Spud wrthi'n barod, Bob. Ha, ha, ha!"

Y DIWEDD!